C000149296

LES ENQUÊTES D'ANATOLE BRISTOL

Le gang des farceurs

© 2012, Éditions Auzou
24-32 rue des Amandiers, 75020 PARIS

Direction générale : Gauthier Auzou ; Responsable éditoriale : Maya Saenz
Création graphique : Alice Nominé
Responsable fabrication : Jean-Christophe Collett ; Fabrication : Amandine Durel

LES ENQUÊTES D'ANATOLE BRISTOL

Le gang des farceurs

Écrit par Sophie Laroche
Illustré par Carine Hinder

AUZOU *romans* **Pas de géant**

À Cécile, forcément…
Et à la mémoire de Francis.
S.

Prologue

Ne niez pas… je vous ai entendu rire quand vous avez lu mon prénom !

Croyez-moi, ce n'est pas facile, de nos jours, de s'appeler Anatole. Moi aussi, je trouve ça démodé, pour ne pas dire ridicule. J'aurais pré-féré… je ne sais pas, moi… Mattéo ou Lucas, enfin un prénom classé dans les premiers du hit-parade des prénoms les plus donnés.

Seulement, mon arrière-grand-père maternel se prénommait Anatole. Et ma mère adorait son grand-père, qui est mort quand elle m'attendait. À partir de là, même mon père n'a rien pu faire :

– Les pleurs d'une femme enceinte, s'est-il justifié un jour où je râlais, c'est pire encore que ses envies de fraises arrosées de vinaigre balsamique. Ça se respecte. Ça s'impose même.

Ma mère m'a appelé Anatole. Mon père a juste réussi à me mettre Mattéo en deuxième prénom, en roue de secours ou en lot de consolation, je ne sais pas.

Vraiment, ce n'est pas facile d'avoir un prénom si original… Cette année par exemple, nous avons déménagé et j'ai débarqué dans une nouvelle école. Dès le jour de la rentrée, les garçons de ma classe m'ont surnommé « Anatole Pot-de-Colle », parce que soi-disant je les suivais partout. Moi, je voulais juste des copains.

J'ai pleuré ce soir-là en rentrant de l'école, mais même les larmes d'un écolier, le premier jour dans une nouvelle école, c'est beaucoup moins puissant que celles d'une femme enceinte. Ma mère a posé sa main sur mon épaule et m'a sermonné :

— Tu ne dois surtout pas rougir de ton prénom, car c'est celui de ton arrière-grand-père, qui a été un très grand détective.

Un très grand détective ? Ça ne réglait pas mes problèmes, mais ça pouvait m'aider à mieux les supporter. À partir de ce moment-là, j'ai décidé que je suivrais la trace de mon brillant ancêtre : je serai détective. Détective d'école pour commencer, parce qu'à 10 ans, je ne pense pas que je puisse intégrer la police. Je verrais après.

Il me fallait un faux nom, pour enquêter incognito : « Anatole Pot-de-Colle », ça manquait de sérieux. Seulement moi, c'est l'inspiration qui me manquait.

Peu importe ! Dès la récréation du lendemain matin, je me suis mis au travail : j'ai observé. Qui jouait avec qui, qui laissait son manteau où, qui complotait contre qui : je voulais me faire des dossiers, qui me serviraient quand j'aurais ma première vraie enquête. Seulement, à peine de retour dans la classe, j'avais déjà oublié presque toutes ces informations si importantes pour ma future carrière. Alors j'ai eu ma première super idée : ma mère m'avait acheté un stock de fiches bristol inutiles, car les élèves n'en utilisaient pas dans cette nouvelle école. J'allais m'en servir pour répertorier tous mes camarades. Les institutrices aussi ! Comme ça, le jour où l'on aurait besoin de moi, Anatole et ses bristols seraient fin prêts !

Anatole et ses bristols…

« Anatole Bristol » ! Ça y est, j'avais trouvé mon nom de détective !

Il ne me manquait plus que… des affaires à résoudre ! Je me consolais en me répétant que même Sherlock Holmes n'avait pas dû être débordé dès son premier jour de travail. Je n'avais qu'à prendre de l'avance sur mes fiches.

Les récréations ne m'ont plus paru si longues à partir de ce moment-là, même si j'étais toujours seul. Puis un jour, une fille de ma classe s'est approchée :

– Qu'est-ce que tu notes sur tous tes papiers ? m'a-t-elle demandé, timidement.

Et pourtant, je lui ai sèchement rétorqué :

– Mêle-toi de tes affaires !

Ce qui n'était vraiment pas sympa, parce que :

1. Cette fille m'avait parlé gentiment.

2. Elle s'appelait Philomène. Voilà un prénom pas facile à porter non plus, j'en convenais tout à fait.

– Philomène ! Je suis désolé, je ne voulais pas te vexer !

Elle avait tourné les talons, et j'ai vu sa tête faire un demi-tour presque entier :

    — C'est pas grave, tu sais…

Son corps a suivi le mouvement, et c'est entièrement face à moi qu'elle a enchaîné :

    — Appelle-moi Philo !

C'est vrai que « Philo », c'était sympa. Ça faisait philosophie, fille réfléchie, et elle était tout à fait comme ça. J'aurais aimé lui dire « et moi, appelle-moi Anato », mais pour le coup, ça faisait cours d'anatomie, quand la maîtresse nous expliquait les poumons et l'intestin grêle. Et moi, je ne voulais pas être médecin, mais détective. Alors j'ai juste invité ma nouvelle (ma seule, devrais-je écrire…) amie à s'asseoir près de moi, et je lui ai expliqué le pourquoi du comment de mes fiches. Et elle a trouvé ça passionnant.

Le détective Anatole Bristol avait désormais des renseignements sur tout le monde, il avait même une assistante : les enquêtes pouvaient commencer !

1 Une première grosse tuile !

Ohé ! Il y a quelqu'un ? J'ai dit que les enquêtes pouvaient commencer, j'attends ! Ma carrière stagnait, je devais bien le reconnaître. Certes, j'étais devenu expert pour retrouver les pulls égarés, le champion du « c'est qui qu'a commencé ? » lors des disputes de CP. Mais de vraies affaires, point à l'horizon. Je rêvais de trafic de fausses cartes, d'un enlèvement de

maîtresse (la mienne, par exemple, un jour de dictée), mais rien de tout cela n'arrivait.

Heureusement, il y avait Philomène. Je dois être honnête, ce n'est pas la meilleure amie que j'aurais spontanément choisie si j'avais eu ce luxe ! Elle était trop… sage pour moi : toujours sérieuse en cours, jamais délurée en cour de récré.

Mais elle m'avait accueilli dans l'école, présenté à tous ceux qu'elle connaissait… Et Philo connaissait plein de monde ! Le problème, c'est que comme elle était trop « intello », personne ne voulait vraiment être son ami. L'avoir juste comme copine de classe, c'était très pratique. Ça dépannait bien quand on n'avait pas compris un truc. Elle laissait même ses voisins copier pendant la dictée ou l'évaluation d'histoire. Mais l'avoir comme véritable amie, ça devenait trop ennuyeux.

Moi, j'ai appris à la découvrir. Et à l'aimer. Philo et moi sommes devenus inséparables. À défaut d'être drôle, elle était très intéressante. Elle savait plein de choses sur tout, et elle m'apprenait des trucs qui me serviraient sans doute un jour, comme ouvrir une porte avec un vieux cliché de radio ou relever les empreintes digitales sur une vitre. Avec elle, je ne m'ennuyais jamais !

Alors quand elle est tombée malade, ça a été une vraie catastrophe. Pour moi bien sûr, qui me suis retrouvé tout seul de nouveau, mais surtout pour elle. Non seulement cette élève si studieuse devait manquer l'école, mais en plus, pour lutter contre une maladie très grave.

— C'est un cancer, m'a-t-elle expliqué quand je lui ai rendu visite la première fois à l'hôpital.

Elle parlait de cette voix de professeur que je lui connaissais si bien, celle qu'elle utilisait quand elle me décrivait les différentes traces que le pneu d'un fugitif pouvait laisser sur le sol. Sans la moindre émotion, sans le moindre trémolo. Et moi, j'avais envie de hurler :

— Philo, regarde, t'as plus un cheveu sur la tête ! T'es toute pâle ! Je me moque de savoir qu'on compte les globules blancs en millions ! Dis-moi juste que tu vas guérir !

Mais bien sûr, je n'ai rien dit. Parce que moi, j'aurais explosé en sanglots, c'était certain.

— N'assomme pas ton ami de détails médicaux, l'a interrompue sa maman, sinon il ne viendra plus te voir !

J'ai apprécié son intervention ! Philomène s'est tue, et j'ai eu l'impression que je pouvais de nouveau respirer. J'ai tout de suite rétorqué :

— Ne vous inquiétez pas, madame. Je viendrai toujours voir mon amie !

Philo a souri. J'ai souri à mon tour. Mais, à la différence de mon amie, en me forçant. Parce qu'une toute petite voix intérieure me murmurait déjà que je n'étais qu'un menteur…

La maladie de Philo a changé mon statut à l'école. Tout le monde savait qu'elle avait un truc super grave, qu'elle resterait longtemps à l'hôpital, que les médicaments avaient fait chuter ses cheveux… mais personne n'était assez proche d'elle pour oser lui rendre visite. Alors on me demandait des nouvelles. J'ai pris l'habitude de lui téléphoner en rentrant de l'école. Au début, je lui racontais tout ce que nous avions étudié en classe. Je lui faisais aussi un rapport détaillé de mon activité de détective : Olivier Peyroux avait encore perdu son pull, Samuel Forestier avait cassé la vitre avec son ballon, mais j'étais le seul à l'avoir vu. Je parlais le plus possible, pour éviter d'écouter ses histoires d'hôpital. Mais assez vite, je n'ai plus eu besoin de l'assommer avec mes aventures : elle l'était déjà. Elle me murmurait juste qu'elle était contente de m'entendre, et qu'elle serait ravie de me voir.

— Je vais venir, je vais venir ! mentais-je avec assurance.

Les enfants de ma classe ont vite compris que je n'aurais pas de nouvelles fraîches avant un long moment. Mais ils ne se sont pas désintéressés de moi pour autant. On me proposait de jouer au foot, on me demandait si j'aimerais échanger des cartes… on m'intégrait.

Une enquête « quatre fromages »

Attention, que les choses soient claires ! Je n'oubliais ni ma meilleure amie ni mon brillant ancêtre détective. Mais je me protégeais en évitant de penser à Philo trop souvent : c'était trop douloureux.

Philo a arrêté de me demander quand j'allais venir. Elle était toujours contente de me parler au téléphone, mais parfois aussi, c'était elle qui voulait raccrocher :

– J'te laisse, c'est l'heure du repas !

Eh oui, c'est terrible, à l'hôpital, on dîne quasiment à l'heure où nous finissons de goûter. Je me suis convaincu qu'elle avait sympathisé avec les enfants hospitalisés dans le même service qu'elle. Après tout, je suis sûr que ces enfants-là, qui luttaient contre la maladie, devaient bien se moquer de savoir si c'était une intello ou si son prénom était bizarre.

Je continuais à tenir mes fiches à jour, mais cela ne me prenait plus toute la récréation. Je jouais avec mes nouveaux copains, mais j'avais aussi un plaisir certain à rester un peu seul pour faire le point sur tout ce qui m'entourait. Pour le jour où…

« Le jour où » est arrivé un vendredi. Détail qui a son importance, comme je devrais m'en rendre compte lors de mon investigation. Il était 11 h 40, la récréation de la cantine venait juste de commencer, quand nous avons vu un monsieur en tenue de cuisinier remonter toute la cour vers la cantine avec une imposante pile de boîtes à pizzas dans les bras. Quel étrange spectacle que ce funambule bedonnant qui semblait avancer sur un fil invisible, tanguant

à droite, tanguant à gauche, pour maintenir sa trajectoire ! Tout haletant, monsieur Bezault, le directeur de l'école, le suivait :

— Arrêtez, mais arrêtez-vous ! Je vous dis que je n'ai jamais commandé ces cent pizzas ! Jamais de la vie, rembarquez-les !

Cent pizzas ? Je n'en avais compté qu'une trentaine ! C'est à ce moment-là que nous avons vu débarquer deux jeunes hommes qui portaient encore plus de boîtes que leur patron. Celui-ci a répondu sans se retourner :

— Et moi je vous dis que j'ai bien reçu votre coup de téléphone ! Que c'était bien votre voix ! Et que c'était bien le numéro de l'école Ledreux qui s'affichait. Vous me prenez pour un débutant ou quoi, nous vérifions toujours les numéros !

Il parlait avec un fort accent italien, et on comprenait à son ton grave que c'est toute l'Italie que l'on provoquait en s'attaquant à lui.

— Mais pourquoi j'aurais commandé toutes

ces pizzas ?!

– Pour nourrir les *bambini*, pardi ! C'est ce que vous m'avez répété au téléphone : « M'sieur s'il vous plaît, on n'a pas été livrés du repas de ce midi, il faut nous sauver. » « Nous sauver ! » que vous m'avez répété !

– Mais nous avons tout ce qu'il faut ! Vérifiez en cuisine ! Le premier service a commencé…

– Eh bien moi, ce n'est pas mon problème ! Donnez donc aux *bambini* une part de pizza avec leur repas, et payez-moi *illico presto* !

– Oh oui, m'sieur Bezault, de la pizza !

– De la pizza !

– PIZZA ! PIZZA !

En quelques secondes, tous les élèves ont repris cet alléchant refrain. Je n'échappais pas à la règle : franchement, pizza contre repas de cantine, ça valait le coup de se chatouiller les cordes vocales, non ?

Le directeur a baissé les bras, en signe de défaite :

— Passez dans mon bureau, a-t-il concédé.

Puis, tel un général d'armée vaincu qui veut garder la tête haute, il a lancé :

– Déposez les pizzas dans le réfectoire des enseignants. Et que personne n'y touche !

Alors ça, ce n'était plus drôle, mais plus drôle du tout…

Heureusement pour nous, il y a sept maîtresses et deux maîtres dans notre école, directeur inclus. Si vous ajoutez le personnel de la cantine et le gardien, ça fait treize en tout. Cent pizzas pour treize personnes, ça fait un peu plus de sept pizzas et demie par tête. Aucun adulte ne peut avaler ça en un seul repas.

Le pizzaiolo est reparti sans ses boîtes mais avec son chèque, les pizzas ont finalement été distribuées à tout le réfectoire, et le directeur a juré haut et fort qu'il trouverait celui qui lui avait joué ce mauvais tour et ruiné la caisse des écoles :

– Qu'est-ce que vous croyez, les enfants, ce sont vos sorties au musée que vous êtes en train de manger !

Je ne suis pas sûr que cela ait attristé beaucoup de monde. Mais quand il a continué en affirmant que l'argent du voyage de fin d'année des CM2 lui aussi avait fondu plus vite que le fromage de ces pizzas, nous n'avons plus eu envie de rire en douce et de nous réjouir.

Bien entendu, je ne livrerais pas au directeur les conclusions de mon enquête, je n'étais pas un rapporteur. Mais il était temps qu'Anatole Bristol s'attaque à sa première enquête sérieuse.

 ## Trop fastoche !

Cette part de pizza en plus du repas prévu à la cantine tombait bien : c'était poisson et épinards au menu, comme souvent le vendredi. Tandis que j'ingurgitais vite fait ce poisson dégoûtant puis savourais ma part de pizza, j'ai eu ma première intuition de détective. (Oui, en mangeant : le cerveau du détective n'est jamais au repos !) Ce n'était pas par hasard que cette livraison avait eu lieu un vendredi. L'auteur de cette blague savait bien que c'était le jour où l'on mangeait mal. De la pizza le jour des frites, ça aurait été beaucoup moins drôle !

De là, je pouvais tirer une autre conclusion : le ou les responsables déjeunaient à la cantine. Et assez régulièrement pour connaître le menu de chaque jour. C'était le cas de la plupart des enfants de l'école, ça ne m'avançait pas beaucoup…

Certes, mon coupable n'aimait pas le poisson ni les épinards. Mais comme la majorité d'entre nous…

Qu'est-ce que je savais en plus sur lui ? Il connaissait le numéro de téléphone de la pizzéria. Pas difficile à trouver. Il avait pu s'introduire dans le bureau du directeur. Il fallait que je consulte mes notes : peut-être y avais-je relevé des allées et venues de personnes suspectes pendant la récré. Enfin, le coupable savait aussi imiter la voix de monsieur Bezault.

Un souvenir m'est alors revenu : le directeur enseigne dans la classe juste à côté de la nôtre. En septembre, quand il faisait encore beau, notre maîtresse laissait souvent les fenêtres ouvertes. Un jour, monsieur Bezault avait dû

faire de même, car tandis que nous planchions sur un exercice de maths particulièrement compliqué, nous avons sursauté au son de sa voix aiguë :

– Non les enfants ! Tous les verbes en « er » ne sont pas du premier groupe ! Cherchez bien, il y a une exception.

Le silence qui a suivi a dû lui paraître bien long, car nous l'avons entendu s'énerver :

– Eh bien, je ne sais pas pour vous, mais moi, quand c'est l'heure, je n'*alle* pas en récré. J'y *vais* ! Mais apparemment dans cette classe, tout n'*alle* pas pour le mieux en français !

– Aller, m'sieur, c'est aller !

– Aller, c'est du troisième groupe, m'sieur !

– Eh bien j'espère que vous vous en souviendrez, a lâché monsieur Bezault.

– Et vous aussi, les enfants, a ironisé notre maîtresse. Maintenant, retournez à vos maths.

Depuis ce jour, Gabriel imite le directeur

tous les jours, à l'heure de la récré :

— Bon, c'est pas tout, mais moi j'*alle* jouer au foot maintenant. Qui vient avec moi ?

Il prend toujours l'intonation exacte, et même s'il répète sa blague quotidiennement, elle nous amuse chaque fois.

Est-ce que Gabriel avait participé au match ce matin-là ? Il fallait que je vérifie. Vite, j'ai repris ma fiche bristol du jour :

RÉCRÉ DU MATIN :
GABRIEL GUILABERT PAS AU FOOT.

PAS NON PLUS À L'ÉCHANGE DE CARTES :
TROUVER CE QU'IL FAIT !

Gabriel, c'était donc lui ! C'était un garçon plutôt sympa. Il n'avait pas hésité à me charrier en m'appelant « Anatole Pot-de-Colle » le premier jour, mais il avait aussi su m'accueillir très vite quand Philo avait été malade. Ma pauvre Philo… J'aurais une histoire passionnante à lui raconter le soir au téléphone, c'était certain !

Je n'avais que des doutes, il me fallait maintenant démasquer mon suspect. De plus, avait-il agi seul ?

Mais, au fait… je savais pourquoi Gabriel n'était pas au foot ! La maîtresse avait demandé qui était volontaire pour redéposer les livres à la bibliothèque juste avant la récré, et Gabriel avait accepté. Avec Hugo Marty… Normalement, cela ne prend que quelques minutes. Mais là, on avait attendu Gabriel pendant tout le match. Quant à Hugo, il passe normalement sa récré à échanger des cartes, je n'avais pas relevé son absence prolongée. Il fallait que je sois plus attentif à l'avenir !

Pour l'instant, je devais me concentrer sur

mon enquête. Nous avons le droit d'aller à la bibliothèque pendant la récré de la cantine, j'en ai profité pour procéder à une ultime vérification : il y avait bien un deuxième téléphone sur le petit bureau de la bibliothécaire. Je tenais mes coupables !

Pour en être certain, il fallait y aller au bluff :

– Gabriel, t'as pas oublié un truc à la bibliothèque ce matin ?

Mon copain a blêmi, et j'ai vraiment eu peur, un court instant, qu'il ne soit plus du tout mon copain… Puis il a repris :

– Non, j'ai juste déposé les livres et je suis reparti tout de suite.

– Ah bon, ai-je insisté, j'avais cru.

Et je lui ai adressé un clin d'œil bien appuyé. Gabriel a regardé autour de lui, puis il m'a fixé, quelques toutes petites secondes qui m'ont semblé une éternité. Enfin, il m'a renvoyé un clin d'œil :

— Tu ne diras rien ?

— Je ne dirai rien, tu peux compter sur moi. J'adore la pizza.

Un détective qui ne communique pas les résultats de ses enquêtes ne sert pas à grand-chose, pensez-vous sans doute. Peut-être. Mais il y avait dans le regard de Gabriel, quand il m'a

souri, une complicité qui valait bien ce silence.

Et puis j'aurais l'occasion de vanter mes mérites de détective à Philo dès le soir au téléphone !

4 La série continue !

J'ai eu le sentiment que Philo m'écoutait patiemment, pas plus intéressée que ça. Sur le coup, j'ai été très déçu. Puis je me suis dit que cette histoire avait été plus drôle à vivre qu'à écouter. Et que mon amie était sans doute fatiguée. Ça faisait quand même un mois qu'elle luttait à l'hôpital contre la maladie.

Avant de me coucher, j'ai sorti un journal

intime que ma mère m'avait offert quelques mois plus tôt. C'était un cadeau plutôt saugrenu pour un garçon, lui avait fait remarquer papa. Maman lui avait répondu que ça pouvait être une aide précieuse pour vivre au mieux ce déménagement : je confierais toutes mes impressions à cet ami de papier. Moi, j'avais juste trouvé cela très inutile. Mais ce soir-là, j'avais décidé de tenir à jour le récit de mes exploits, surtout si je devais devenir

aussi brillant que mon arrière-grand-père.

Le directeur a été bien moins perspicace que moi : il n'a jamais su qui lui avait joué ce mauvais tour. Le calme est revenu dans l'école. Nous avions juste un grand sourire aux lèvres maintenant en mangeant notre poisson le vendredi. Oh, pas parce qu'il était meilleur, non. Simplement car cela nous rappelait un souvenir très drôle.

La blague suivante, je dois l'avouer, m'a beaucoup moins amusé. C'était un lundi cette fois-ci. Nous nous installions en salle d'informatique. Depuis le début de l'année, notre classe tenait un blog, et chaque semaine, nous postions un billet. Deux enfants étaient chargés de le mettre en ligne, tandis que les autres saisissaient les textes qui alimenteraient la gazette de l'école (gazette qui allait être mise en vente à chaque numéro, pour financer le voyage des CM parti en pizzas !). C'est Louison qui s'est installée en premier et tout de suite, elle a remarqué que quelque chose clochait :

— Madame, mon ordi, il a pas de souris !

— On dit « mon ordi n'a pas de souris », l'a reprise madame Appourchaux.

Mais personne ne l'a écoutée, pas même Louison, car nous avions découvert que plus un seul ordinateur n'avait de souris !

— Mais madame, c'est horrible, qu'est-ce

qu'on va faire sans souris ? s'est inquiété Raphaël, l'as de l'informatique de notre classe.

Et c'est à cet instant que nous avons eu la réponse à sa question. Ou plutôt, que nous l'avons vue…

Une d'abord. Puis plusieurs. Mais pas de ces souris qui cliquent, non. Des souris qui

couinent. Des vraies petites souris blanches qui ont jailli d'un coin de la salle et se sont répandues dans la pièce en moins de temps qu'il n'en faut pour l'écrire.

Qui a hurlé en premier ? Peut-être bien moi, je dois l'avouer. Mais je vous assure que je n'étais pas le seul, nous avons été quelques-uns premiers *ex aequo* sur ce coup-là. Là-dessus, ceux qui ne s'époumonaient pas à cause des souris se sont mis à nous crier dessus pour que l'on se calme, car nous affolions ces pauvres petites bêtes.

Un vrai capharnaüm !

Guillaume était dans tous ses états, il a voulu ouvrir la porte pour s'enfuir.

– Surtout pas, l'a arrêté la maîtresse, il ne faut pas qu'elles se dispersent dans l'école !

La maîtresse gardait vraiment son sang froid, et elle m'a impressionné. J'avais cessé de crier, mais pas question pour moi de descendre de la chaise sur laquelle je m'étais réfugié. Pas immédiatement en tout cas.

J'ai appris quelque chose pendant cette aventure : certes, nous étions nombreux à avoir peur de ces souris, mais nous étions finalement bien plus impressionnants pour ces petites bêtes qu'elles ne l'étaient pour nous ! Elles ont fini par se blottir dans un coin de la pièce, loin de la porte. Nous percevions leurs petits couinements, les pauvres cherchaient sans doute le trou qui leur offrirait une chance de fuite. Mais il n'y a pas de trous dans les murs d'une école toute récente.

Nous nous sommes regroupés près de la porte et sommes sortis dans un calme très relatif. La maîtresse nous a renvoyés dans notre classe et a dérangé le directeur en personne pour lui raconter les faits.

— Des pizzas, et maintenant des souris ! Mais quelle mouche a piqué les enfants de cette école ?! s'est énervé monsieur Bezault.

Il devait être très remonté, car nous entendions très bien ses exclamations, malgré les fenêtres fermées. Et là, j'ai bien été obligé de reconnaître que le directeur avait été plus malin que moi dans cette histoire : il y avait certainement un lien entre ces deux blagues si rapprochées…

5

Le jeu du chat et de la souris

Bien sûr, mes premiers soupçons se sont portés sur Gabriel et Hugo. Mais je les ai vite retirés de ma liste de suspects. Ils étaient complètement pétrifiés quand les souris sont apparues, il me semble même que Gabriel pleurait de peur.

Cette aventure a eu le mérite d'amuser Philo.

– Des vraies souris dans la salle ordi ?

Ça, c'est rigolo ! s'est exclamée mon amie quand je l'ai appelée le soir même.

— On voit que tu n'y étais pas ! C'est impressionnant, ces petites bêtes qui courent partout !

— Impressionnant ? m'a charrié Philo. Mais elles sont plus petites que les souris d'ordi ! Au fait, elles ont été retrouvées, les souris en plastique ?

Je n'ai pas voulu renchérir sur la question de taille. D'abord parce que c'était agréable de retrouver un peu la voix joyeuse de Philo, et ensuite car elle avait soulevé un point crucial de l'enquête : et les souris d'ordinateurs ? Décidément, Anatole Bristol ne pouvait pas se passer de sa brillante assistante.

— Tu as raison, ai-je reconnu, c'est sans doute par là que je dois commencer mes recherches.

— Tiens-moi au courant ! a conclu Philo avant de raccrocher car on lui apportait son plateau-repas.

Les souris d'ordinateur ont réapparu, comme par miracle. Mais pas dans la salle d'informatique, placée sous étroite surveillance. C'est la mère d'une élève qui a mis la main dessus alors qu'elle avait eu le courage de se plonger dans l'immense caisse de vêtements perdus qui déborde toujours. « Elle a mis la main dedans »,

devrais-je préciser, car il paraît que les souris étaient dans le fond du bac, mélangées à de petits carrés de gruyère.

Je n'ai pas assisté à la scène, mais j'en ai eu un rapport assez fidèle, car c'est la mère de Julie qui a fait cette étrange découverte en cherchant le bonnet de son petit frère.

— Le directeur n'a pas du tout apprécié que

ma mère le dérange dans sa classe ! se réjouissait Julie. Mais elle lui a répondu qu'elle, elle n'appréciait pas du tout le traitement réservé au matériel informatique et à la nourriture dans cet établissement. Il paraît qu'il s'est enfoncé de quelques centimètres dans le sol à ce moment-là !

Julie… Il fallait que je vérifie… mais il me semblait bien l'avoir vue ramasser sur le banc de la cour le bonnet et l'écharpe que son frère avait déposés pour jouer à chat.

Le chat me mènerait-il à la souris ? (Bon d'accord, elle est tirée par les cheveux, celle-là !)

J'ai pris Julie en filature. Le plus discrètement possible, bien sûr ! J'ai quand même été repéré par sa copine Coline, qui s'est moquée de moi :

— Anatole est amoureux de Julie !

— Mais c'est pas vrai ! me suis-je récrié.

— Alors pourquoi tu la surveilles tout le temps ?

Oh la la… J'avais le choix entre :

1. Être découvert.
2. Être étiqueté « amoureux de Julie ».

Julie était jolie, je devais l'admettre. Et sympathique aussi. Pas crâneuse en plus ! J'ai opté pour la deuxième solution :

— C'est vrai que Julie me plaît, ai-je confié à Coline. Mais tu lui répètes pas, tu promets !

— Promis !

Bien entendu, Coline n'a pas tenu son engagement. Mais cela m'arrangeait plutôt. Julie a semblé flattée de savoir qu'elle me plaisait et m'a adressé la parole à plusieurs reprises. Ce qui m'a permis d'avancer mon enquête en discutant avec elle : c'est ce qu'on appelle joindre l'utile à l'agréable. Ce matin-là, l'air de rien, je lui ai demandé ce qu'elle voulait faire comme métier. Elle m'a répondu sans hésiter :

— Vétérinaire !

Vétérinaire, ça ne vous fait pas tilter ?! Je

vous assure qu'Anatole Bristol a compris qu'il tenait là une piste sérieuse. C'est une question de… flair ! Je crois que Julie aime les animaux au point de vouloir devenir vétérinaire et d'être capable de promener dans son cartable une quinzaine de souris sans être morte de peur. Reste à savoir pourquoi elle aurait (mode conditionnel, je n'ai pas encore de preuves irréfutables !) monté cette blague.

6   Il est impossible de mâcher à l'école

Vous pensez sûrement que je n'ai pas mis beaucoup de bonne volonté à chercher des indices contre Julie. Et vous n'avez pas tout à fait tort : je n'avais pas très envie de « confondre » ma nouvelle amie. Confondre ici, ça ne veut pas dire la prendre pour une autre, à ce niveau-là, pas de souci, je vois très clair. Non, confondre, pour nous les détectives, ça veut dire prendre la main dans le sac. Sac à souris… beurk !

De toute façon, je n'ai pas eu le temps d'approfondir mes recherches, il m'a fallu enquêter très vite sur une autre affaire. Si cela continuait à ce rythme, un seul détective ne suffirait plus dans cette école. Ah, vivement que Philo revienne…

Pour une fois que je n'étais pas en retard, je me réjouissais d'arriver avant les autres pour les observer en douce. Je compte sur vous pour ne pas l'ébruiter, mais on apprend beaucoup de choses sur un enfant quand il arrive à l'école : est-il joyeux ? Boude-t-il ? Il y a ceux qui se précipitent pour retrouver leurs copains, ceux qui ont mal au ventre, ceux qui avancent en bouquinant. Ceux qui ont mis un pot de gel et demi sur la tête, et ceux qui n'ont pas pris le temps de boutonner leur chemise… ou parfois même leur pantalon. Tous ces détails, ce sont autant de précieuses informations pour un détective comme moi.

Seulement ce matin-là, je me suis retrouvé à la rue. Devant une grille fermée. Oh, j'en imagine certains bondissant de joie : l'école était fermée, quelle aubaine ! Sauf qu'elle n'était pas fermée… exprès. Madame Appourchaux pestait devant la serrure, et en approchant, j'ai compris

LE ZOMBIE

LE DÉTECTIVE

L'ARTISTE

LA PARFAITE

L'INTELLO

pourquoi : sa clé était non seulement coincée à l'intérieur, mais elle semblait empêtrée dans une drôle de matière gluante.

Du chewing-gum : les serrures de la grille avaient été bourrées au chewing-gum ! Ma maîtresse ne supporte pas ça en classe. Alors vous imaginez l'effet que ça lui a fait, le matin,

devant la grille ? Avant même d'avoir savouré son petit café dans la salle des maîtres ?

Elle est devenue toute blanche… puis toute rouge ! Elle s'est mise à hurler, et j'ai bien remarqué que même les parents qui arrivaient avec leurs enfants n'en menaient pas large. Une vraie colère de maîtresse, ça impressionne toujours son homme, même s'il a troqué depuis longtemps le cartable pour la cravate !

Le directeur est arrivé, il a gentiment demandé à madame Appourchaux de se calmer…

– Me calmer, me calmer ! Mais on voit bien, monsieur le directeur, que ce n'est pas vous qui vous escrimez depuis des heures (bon là, elle exagérait franchement) à ouvrir une serrure noyée dans le chewing-gum ! lui a-t-elle rétorqué. Un chewing-gum mâchouillé, de plus ! C'est dégoûtant !

Le directeur a refusé d'entrer dans ces

considérations culinaires.

– Allez ouvrir l'autre porte, la petite de service, puisque la clé est aussi sur votre trousseau, lui a-t-il ordonné, fermement cette fois.

– Eh bien allez-y donc, ouvrir cette autre porte ! Parce que moi, je ne mets plus une seule de mes clés dans une serrure de cette école ! Regardez, c'est infect, ça colle sur ma clé de voiture et ma clé de maison.

Elle a été sacrément inspirée, sur ce coup-là, ma maîtresse. Le directeur est parti en haussant les épaules, et il a lancé à la cantonade :

– Ne vous inquiétez pas, je passe par l'entrée de service, je vous ouvre dans deux secondes !

Sauf que deux secondes plus tard, on l'a entendu hurler :

– (Censuré) ! (Censuré) ! (Censuré) de (censuré) ! Qui a mis du chewing-gum dans cette serrure, elle est complètement bouchée ?!

Et voilà comment, pour quelques chewing-gums, on se retrouve à censurer les propos d'un directeur d'école dans une histoire…

Le farceur était un malin : il avait bloqué toutes les issues. Sur le trottoir régnait une drôle d'ambiance : il y avait les parents qui s'énervaient parce qu'ils allaient être en retard au travail, et ceux qui contenaient difficilement le fou rire qui leur chatouillait les zygomatiques. C'est le papa d'un petit CP qui a craqué en premier, et comme le rire, c'est très contagieux, il a fusé de partout en moins d'une minute. Même moi, pourtant en pleine investigation sur les lieux du crime, je n'ai pas réussi à garder mon sérieux et ma concentration.

Finalement, monsieur Machinal, l'instituteur des CE2, est passé au-dessus de la grille, il est entré dans le bâtiment et a pu ouvrir la porte de service, car de l'intérieur, elle ne ferme pas par une serrure mais par un verrou. Tout le monde a applaudi chaleureusement le héros du

jour. Tout le monde sauf le directeur, qui continuait à pester dans des termes que ma bonne
éducation m'interdit de vous rapporter.

7 Le mâchouilleur démasqué

Nouvelle farce, nouvelle énigme ! Je n'avais pas encore la certitude que Julie était l'auteur de la blague des souris, et je devais trouver un farceur mâcheur de chewing-gums. Je vous laisse imaginer comme la liste des suspects était longue ! Dans toute l'école, seuls trois enfants portent déjà des appareils dentaires et sont donc dans l'incapacité absolue de mâcher suffisamment de bubble-gum pour boucher deux serrures. Et je n'en connais pas un seul qui n'aime pas ça… n'en déplaise aux parents, aux maîtresses et aux dentistes !

Certes, si j'avais les moyens techniques des policiers de séries télévisées, l'enquête aurait vite été réglée ! Prélèvement des indices, test ADN de chaque élève et enseignant − n'écartons aucune piste ! −, et hop, le tour serait joué ! Mais je ne suis qu'apprenti détective, je ne dois pas l'oublier, et je me console en me disant que

quand je serai adulte, j'aurai à ma disposition de tels moyens.

En attendant, je me servais de mon cerveau… et me mettais dans celui du coupable. Pourquoi avait-il (ou elle !) fait ça ? Pour retarder l'école ? Dans ce cas, à part deux ou trois enfants super fayots, nous étions tous suspects !

Comment avait-il (ou elle encore !) procédé ? Voilà une question qui avancerait plus mon enquête… si je parvenais à y répondre !

Le coupable avait dû :

1. Se procurer du chewing-gum.
2. Le mâcher tranquillement.
3. Le bourrer dans la serrure.

Le tout sans que personne ne remarque rien.

Moi, je ne pourrais pas retourner en douce à l'école, même si ma mère me laisse aller seul dans la rue, pour acheter une baguette de pain par exemple. J'habite trop loin. Une telle expédition me prendrait au minimum quarante minutes.

Tandis que… Guillaume par exemple, un garçon de ma classe, habite juste en face de l'école ! D'ailleurs, ça ne l'empêche pas d'être régulièrement en retard. Je le soupçonne de ne pas se lever quand son réveil sonne, mais quand la sonnerie de l'école retentit ! C'est pour cela qu'il a toujours les cheveux en pétard. Pouvait-il

être le « mâchouilleur » ? Il existait bien un moyen de le savoir. Mais pour cela, il fallait que j'agisse, et vite !

J'ai fouillé mon cartable : c'était bien ce que je pensais, il me restait un vieux paquet de chewing-gums dans le fond. Je l'avais caché pour que ma mère ne tombe pas dessus (eh oui, ma mère est du genre à régulièrement inspecter votre cartable comme votre chambre. Le pire, c'est qu'elle est persuadée de procéder en douce alors qu'elle laisse toujours un bazar terrible !). À la récréation, je me suis dirigé, l'air de rien (très important, de savoir prendre « l'air de rien » quand on est en mission !) vers Guillaume et son groupe de copains, et j'ai proposé d'un ton anodin :

— Qui veut un chewing-gum ?

Forcément, il y en a eu un ou deux qui ont rigolé, après ce qui s'était passé le matin. Mais tous ont accepté mon offre avec enthousiasme.

Tous… sauf Guillaume qui a refusé poliment. Mais sa mine dégoûtée m'en a dit long ! Je tenais mon « mâchouilleur », j'en étais quasi-certain !

Encore un coupable démasqué ! Il m'aurait juste fallu un test ADN pour en être sûr, mais comme je n'avais pas l'intention de le dénoncer, je m'en suis passé. Décidément, j'étais trop fort comme détective !

Encore un coupable… élève dans ma classe ! Pourquoi ne m'en étais-je pas rendu compte plus tôt ? Que se passait-il dans la classe de madame Appourchaux ?

Le détective soi-disant trop fort était loin d'avoir bouclé son enquête !

8   À l'endroit, à l'envers !

Philo m'a à peine écouté quand je lui ai raconté le « chewing-gumage » des serrures de l'école et la résolution de l'énigme par le grand Anatole Bristol ! Moi qui pensais la distraire un peu ! Mais j'ai vite compris pourquoi elle avait la tête ailleurs : après plus de trois mois alitée, Philo allait enfin sortir de l'hôpital ! Bon, elle n'était pas en état de retourner à l'école, il fallait qu'elle se repose encore et se protège des microbes. Mais son traitement avait très bien fonctionné, et ses « taux de globules » étaient bons.

— On ne peut pas encore parler de guérison, c'est beaucoup trop tôt ! a insisté Philo. Mais les médecins ont dit qu'ils étaient impressionnés par la vitesse à laquelle j'ai réagi au traitement. Ils ont affirmé aussi que j'avais bien lutté contre la maladie, que je ne m'étais pas laissée

abattre, et que ça, ça compte beaucoup. Je leur ai répondu que j'avais été super entourée.

Oups… Heureusement que nous étions au téléphone et pas l'un en face de l'autre, parce que je n'aurais pas aimé que Philo me voie virer au rouge ! Mon amie était vraiment gentille de raconter qu'elle avait été « super entourée » parce que, franchement, je n'avais pas été à la hauteur. Certes, je l'avais appelée assez souvent. Mais je n'étais jamais retourné la voir à l'hôpital. Bien sûr, il y avait eu toutes ces enquêtes à mener, mais elles m'avaient bien servi… d'alibi ! Cette fois, pas de doute, c'était moi le coupable.

Peu importe : j'allais me rattraper !

— Tu rentres quand ? me suis-je empressé de lui demander.

— Sans doute dimanche.

— Et est-ce que je pourrai passer… lundi, après l'école ?

— Bien sûr Anatole, je serais super contente !

Et tu me raconteras en détail les dernières conclusions de ton enquête !

Le lundi, j'étais si heureux à l'idée que Philo soit chez elle que je n'ai pas remarqué tout de suite ce qui clochait. Il faut dire que j'appréhendais aussi un peu nos retrouvailles. Mon amie allait-elle me reprocher mon absence ? Comment réagirais-je en revoyant son crâne chauve ?

Je ne devais surtout pas être aussi minable que la dernière fois ! Je pensais à tout cela alors que nous nous débarrassions de nos blousons sur les portemanteaux du couloir, sous les ordres de la maîtresse pressée. Madame Appourchaux, elle, n'était pas perdue dans toutes ces considérations. Alors elle a tout de suite signalé à Gabriel qu'il avait mis son manteau à l'envers.

Enfiler son manteau à l'envers, il fallait le faire… Puis elle a demandé à Coline de remettre son pull dans le bon sens.

– Mais madame, il est pas plus chaud à l'endroit qu'à l'envers ! a rétorqué l'écolière, et toute la classe a éclaté de rire.

Notre bonne humeur s'est changée en surprise quand nous sommes entrés dans la salle de classe. Je n'ai pas compris tout de suite ce qui n'allait pas. Les tables étaient alignées, les chaises bien rangées, les classeurs à leur place… mais tout était à l'envers ! Les pupitres tournaient le dos au tableau, les étiquettes des classeurs étaient inversées, sur les posters les grands hommes de l'histoire avaient la tête en bas.

M'est alors revenue à l'esprit une remarque de la maîtresse. La veille, Coline avait reproché à madame Appourchaux de trop traîner à bavarder avec ses collègues à la récré, et de nous faire rentrer en classe en retard.

– C'est qu'en plus, ça gèle ! avait argumenté la fille.

— Ça alors, c'est le monde à l'envers ! avait rétorqué la maîtresse, sans bien entendu fournir la moindre excuse ou explication.

Nous y étions cette fois, dans le monde à l'envers ! D'ailleurs, en y regardant de plus près, j'ai noté que Guillaume avait inversé ses chaussures. Julie, elle, avait noué sa tresse sur le côté gauche et non sur le droit comme d'habitude. Oh, bien sûr, elle était toujours aussi jolie !

Hugo a levé le doigt :

— Hier comme classe la remette on qu'voulez vous ?

— Hugo, je ne comprends rien à ce que tu demandes, a lâché madame Appourchaux, plus dépitée qu'énervée.

Moi, j'avais pigé ! Hugo parlait à l'envers. Hugo, Gabriel, Julie, Coline, Guillaume… Tous mes blagueurs suspects semblaient

avoir participé à cette mise en scène. Comme si cette fois, l'action était menée par... le gang en entier !

« Anatole Bristol démantèle le gang des farceurs ! », pourrait titrer le journal de la ville ! Peut-être même le journal télévisé... de la chaîne locale bien entendu, je n'ai pas la grosse tête !

Mes rêves de notoriété ont cependant vite été freinés par un obstacle de taille. Ma gloire avait un prix : celui de la dénonciation de mes camarades de classe. Et je n'étais pas disposé à le payer. Je me contenterais de tout raconter le soir à Philo. À une Philo... guérie ! Et cette perspective suffisait à ma joie.

Révélations

Je sautillais, mal à l'aise, devant la porte de mon amie. Je m'étais enfin décidé à sonner quand elle s'est ouverte. Philo m'a adressé un grand sourire. J'ai tout de suite compris qu'elle n'avait toujours pas de cheveux (il fallait être idiot pour espérer qu'ils repousseraient en un peu plus de trois mois !) mais elle portait un joli foulard très bariolé qui lui donnait bonne mine.

Plus que ça même : elle avait vraiment bonne mine !

– Entre, m'a-t-elle lancé, ou tu vas prendre racine !

C'est en traversant son entrée, en enjambant trois à trois les marches de l'escalier (c'est plus joli de dire quatre à quatre, mais ça serait mentir, on n'y arrivait pas) jusqu'à sa chambre (Philo était à peine essoufflée !) que j'ai réalisé à

quel point cet endroit m'avait manqué. Comme j'étais heureux de retrouver mon amie ! J'ai eu envie de la serrer dans mes bras, mais je n'ai pas osé. Ce genre de trucs, ça se fait dans les livres ou dans les films, pas dans la vraie vie.

Alors je me suis simplement avachi sur le gros pouf rouge près de son lit, elle s'est calée entre son oreiller et son gros coussin en forme de vache, et nous avons repris notre amitié où

nous l'avions laissée. Philo m'a raconté, sans s'apitoyer, le séjour à l'hôpital, les piqûres douloureuses et les médicaments qui donnent la nausée, mais aussi ses copains, et leurs courses en fauteuil roulant la nuit dans les couloirs désertés. Je l'imaginais en l'écoutant, m'amusais de ses bêtises. Décidément, elle avait bien changé !

Très vite, elle a voulu changer de sujet et m'a demandé un récit « détaillé et exhaustif » de mon enquête. Les détails, je les connaissais ! L' « exo stif », il fallait m'expliquer en quoi ça consistait. En fait, Philo voulait tout savoir. Alors je lui ai tout raconté. Je lui ai même avoué au passage que j'étais un peu amoureux de Julie, elle a souri sans se moquer.

— … et là, j'ai compris : ces blagues n'étaient pas des actes isolés, ils agissaient en bande !

Franchement, j'étais très fier de ma conclusion. Philo buvait mes paroles, un sourire amusé au coin des lèvres. Il faut dire que si elle connaissait déjà ces histoires, j'insistais cette fois sur leurs effets : la colère du directeur, la surprise et l'exaspération de notre maîtresse, etc.

— Maintenant, reste à découvrir quelle étrange mouche a piqué nos copains ! ai-je conclu, assez fier de moi, je dois l'avouer.

Mon amie avait visiblement apprécié mon récit et brûlait sans doute d'impatience de me seconder dans mon enquête.

— Je connais cette mouche ! a-t-elle murmuré.

Là, forcément, j'avais mal entendu.

Le sourire de Philo s'est répandu sur tout son visage. C'est une fille brillante, mais elle avait été absente de l'école bien trop longtemps pour résoudre cette énigme si facilement. À moins qu'elle n'ait eu des confidences… Peut-être qu'un autre élève de la classe était allé à l'hôpital et s'était confié à elle ?

— Je connais cette mouche… parce que c'est moi !

Comment ? Alors là, je ne comprenais rien du tout. Je devais vraiment avoir l'air étonné, car Philo a éclaté de rire.

— Mon pauvre Anatole, tu verrais ta tête !

C'est sûr, je devais avoir la tête… de celui qui ne pigeait plus rien à rien. Philo a eu pitié de moi et s'est lancée dans des explications détaillées et… « exhaustives » !

— Tu sais Anatole, j'ai tout de suite compris que tu ne reviendrais pas à l'hôpital…

Étais-je soudainement plus lourd ? J'ai senti que je m'enfonçais dans le pouf d'au moins dix centimètres.

— Je comprends bien que ce n'était pas facile, et j'étais contente que tu m'appelles. Mais je dois reconnaître que je t'en ai voulu, au moins un peu. Au bout de quelque temps, j'ai eu une belle surprise : Gabriel, Hugo, Guillaume, Julie et Coline ont débarqué dans ma chambre d'hôpital. Tous le même mercredi après-midi.

Le plus fou, c'est qu'ils ne s'étaient même pas passé le mot, ils avaient juste eu la même idée : prendre des nouvelles, puisque tu n'en fournissais plus vraiment. L'infirmière ne savait plus où donner de la tête, car le nombre de visiteurs est limité et ils étaient cinq ! Moi, j'étais ravie.

Ils m'ont questionnée sur ma maladie, la vie à l'hôpital, m'ont parlé de l'école bien entendu. À un moment, je ne sais pas ce qui m'a pris... je leur ai confié que j'avais très peur de mourir.

La voix de mon amie, jusque-là joyeuse et sûre, s'est mise à chevroter. J'ai voulu parler, mais aucun son n'est sorti de ma gorge.

– Je leur ai dit : « Vous savez ce que je regrette le plus ? Je vais peut-être mourir sans jamais avoir fait une seule vraie bêtise ! » Je crois que c'est Hugo qui a ri en premier, et je l'ai vraiment remercié intérieurement d'avoir préféré le rire aux larmes. Ils m'ont promis que dès mon retour à l'école, ils veilleraient à ce que je me rattrape.

C'est à ce moment-là qu'Anatole Bristol a commencé à comprendre.

– Ils ne sont plus revenus tous ensemble. J'ai revu Julie et Coline, Gabriel m'a téléphoné. Il m'a demandé si j'étais au courant de ce qui se passait dans l'école, je lui ai répondu que tu m'en faisais un rapport détaillé. Aucun d'eux n'a jamais reconnu clairement les faits, mais je crois que ces farces, c'est pour moi qu'ils les ont faites.

Ça alors ! Ça veut dire que Philo savait dès le début ! Mais alors pourquoi…

– … tu m'as rien dit ?!

– Parce que je trouvais que tu menais très bien ton enquête. Et puis… j'avais décidé de te le dire à ta prochaine visite…

Épilogue

Moi, Anatole Bristol, détective d'école, je suis persuadé qu'une belle carrière de détective m'attend. J'ai démantelé le gang des farceurs. Bien sûr, je ne les ai pas dénoncés. Mais nous en avons parlé à la récré, et ils ont tous été impressionnés quand ils ont su comment je les avais identifiés. Je suis un bon détective, mon arrière-grand-père peut être fier de moi.

Moi, Anatole tout court, je suis un piètre ami. J'ai encore beaucoup de choses à apprendre dans ce domaine. Philo m'a rassuré, elle m'a répété que ce n'était pas évident de venir à l'hôpital, qu'elle comprenait. Mais je m'en veux quand même.

Elle a repris l'école. La semaine dernière, elle était folle de joie : elle a eu la première punition de sa vie. La maîtresse a longuement hésité, parce que mon amie avait été malade et tout ça. Mais en même temps, elle nous avait tous pris en grands préparatifs de farce, Gabriel, Hugo, Julie, Coline, Guillaume, Philo et… moi ! Elle ne pouvait pas punir les uns et pas les autres.

J'ai décidé d'être un détective qui ne dénonce pas. Je ne sais pas si ça sera toujours possible, mais pour l'instant, c'est une idée qui me plaît.

Note de l'auteure

Cécile avait 10 ans quand le cancer a rongé comme un chien hargneux l'os de son bras. J'en avais 8, et nous étions amies. J'ai écrit cette histoire en souvenir de toutes les bêtises que la maladie ne nous a pas empêchées de faire, ni pendant le traitement ni après !

Aujourd'hui, Cécile est complètement guérie. Nous avons arrêté les farces (enfin, officiellement !) mais Élie, Thomas, Olivier et Solal, nos fils, assurent « trop bien » (au vrai sens du terme !) la relève…

Le cancer a failli me prendre une amie, il m'a donné une sœur.

Il s'est vengé trois décennies plus tard, en emportant Francis, le papa de Cécile.

ANATOLE et PHILO
partent sur les traces des Indiens
dans le deuxième tome de leurs aventures

Anatole et Philo enquêtent dans un **camp d'Indiens**...
Et pas n'importe lequel : celui où leur maîtresse
les a emmenés pour une semaine de classe verte.
Mais rien ne va plus, **les disparitions et les mystères
s'enchaînent**... Y a-t-il un détective dans la classe ?

Retrouve ANATOLE et PHILO
en 2014
dans la collection Pas de géant

Découvre les autres héros de la collection Pas de géant

Catherine Kalengula - Madeleine Brunelet

1

Bienvenue au refuge Kobikisa !

AUZOU *romans* Pas de géant

Déjà disponible en librairie !

Charlie vient d'atterrir au Congo. Son père, **vétérinaire**, a décidé de reprendre un refuge pour **animaux sauvages** laissé à l'abandon. Grâce à Gaby, Charlie finit par comprendre que ce **nouvel univers** est loin d'être menaçant et peut même être fascinant. Charlie pourra-t-elle, elle aussi, participer à **l'aventure** initiée par son père ?

Table des matières

Un petit mot de l'auteure et de l'illustratrice

Ne vous fiez pas aux apparences ! Même si je suis mariée et mère de trois enfants, je suis restée une grande enfant qui collectionne les peluches, adore le chocolat et les histoires pour enfants qui parlent d'amitié. Au point de m'être mise moi aussi à en raconter !

Sophie Laroche

Un peu d'humour, de poésie, de l'aventure, de la couleur (beaucoup !) et un crayon de bois : voilà la recette de cette sublime histoire qui m'a beaucoup touchée ! Dessiner les frimousses de cette bande de farceurs m'a beaucoup amusée, j'espère avoir transmis toute la joie de vivre de ces jeunes héros !

Carine Hinder (alias Mipou)